Un dragon n'est pas un poisson!

Consignes de sécurité aquatique pour les enfants...
et les dragons

Jean E. Pendziwol

Illustrations de Martine Gourbault

Texte français d'Hélène Rioux

Éditions
■SCHOLASTIC

Par une journée très chaude de l'été,
je vois mon ami le dragon arriver.

Papa le salue et se penche vers moi.
« J'ai envie d'un pique-nique, dit-il. Et toi? »

« J'ai suivi des cours de natation, dis-je au dragon.
Tu sais nager? » « Oui », fait de la tête mon compagnon.

Papa dit : « Allez mettre vos maillots.
Et surtout, n'oubliez pas vos chapeaux. »

Lotion solaire, seaux, pelles, serviettes, tapis,
le nounours du dragon, ma longue-vue… Voilà, c'est fini.

À la plage, nous prenons nos pelles et nos seaux
pour construire, dans le sable, un fabuleux château.

Avec des tours, un donjon, un fossé, un requin,
un bateau quatre-mâts et un monstre marin.

« Regarde, Dragon, dis-je, un bateau de corsaires!
Le vois-tu là-bas, qui vogue sur la mer? »

Je lance un grondement, car je n'ai peur de rien.
« Rattrapons ces pirates, dis-je, et prenons leur butin! »

Le dragon se prête au jeu avec grand plaisir.
Il bondit sur le sable et se met à courir.

Il prend son élan et, dans l'eau, va sauter
avant que je puisse crier pour l'arrêter.

« Hé! lui dis-je, il faut attendre avant d'aller à l'eau,
que papa nous dise que tout est beau. »

Dans l'eau et sur le sable, papa regarde de tous côtés
pour s'assurer que ni cailloux ni verre ne peuvent nous blesser.

Moi, j'observe le ciel et scrute l'horizon.
« Tout est clair et calme », dis-je au dragon.

« Nous n'avons rien à craindre, la maître-nageuse est là. »
« Allez-y », dit papa. Nous n'attendions que ça.

Je crie : « À l'abordage! » et nous sautons dans les flots
en faisant jaillir tout autour de grandes gerbes d'eau.

Aussitôt, je monte sur le dos du dragon,
qui s'étire dans l'eau de tout son long.

« Allons voir si leur trésor ne serait pas caché
dans leur repaire, qui est là, je crois, sur le quai. »

Après avoir fouillé partout, nous nous avouons vaincus.
Ces pirates n'ont laissé ni pierre précieuse, ni écu.

« Regardons où se dirige leur bateau,
puis nous chercherons le trésor sous l'eau. »

Debout sur le quai, je regarde à l'horizon.
Voyant mon ami du coin de l'œil, je hurle : « Attention! »

Le dragon est là qui s'apprête à faire le saut,
sans avoir d'abord vérifié la profondeur de l'eau.

« Ne saute pas, dragon, ce n'est pas assez creux!
Tu pourrais te frapper la tête, c'est très dangereux!

Regarde-moi plutôt. Voici ce qu'il faut faire. »
Du bout du quai, je me glisse dans la mer.

J'envoie la main à papa, puis je me bouche le nez,
je mets ma tête sous l'eau et j'agite les pieds.

Je refais surface, prends une goulée d'air
et replonge pour chercher le trésor au fond de la mer.

Quand je remonte, je constate, atterrée,
que le dragon dérive vers le large, dans la baie.

Il poursuit des pirates qui, vers la haute mer, s'enfuient,
alors qu'il faut toujours rester près de ses amis.

On le distingue à peine : juste sa queue et son nez.
Il va vers l'eau profonde, au-delà des bouées.

Papa et moi crions : « Hé! Dragon! » mais il n'entend rien.
Un sifflet retentit. Mon ami est allé trop loin.

La maître-nageuse s'élance à son secours,
et me ramène, sain et sauf, ce gros dragon balourd.

« L'eau est trop profonde de l'autre côté des bouées.
L'écriteau indique où nager en toute sécurité. »

Mon pauvre ami baisse la tête, honteux.
Il hoquette et éternue (juste de la fumée, pas de feu).

« Tout va bien, lui dis-je, il n'y a plus de danger.
Promets de ne plus t'éloigner et retournons nager. »

Deux pirates à la mer! Le dragon et moi,
nous barbotons ensemble en poussant des cris de joie.

Puis mon cœur cesse un instant de battre. Devine pourquoi!
Un message dans une bouteille flotte à côté de moi.

Est-ce une carte qui indique le chemin
et qui montre où est caché le butin?

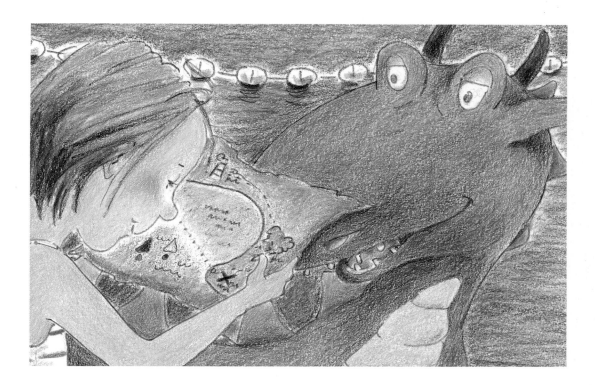

J'enlève le bouchon et retire le parchemin.
C'est bien une carte! Je l'étale et la lisse de la main.

Je reconnais la baie, clairement dessinée.
L'arbre tordu est là, et la plage, et le quai.

« Larguez les amarres! Vers la plage, il faut nous diriger.
Le trésor est là, tout près, et il est enterré. »

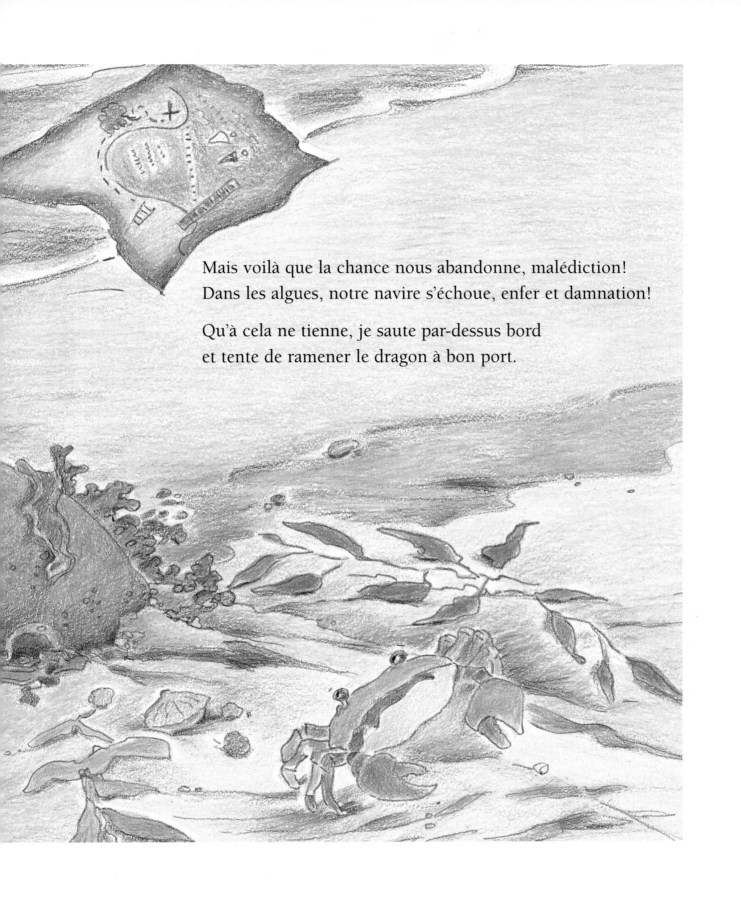

Mais voilà que la chance nous abandonne, malédiction!
Dans les algues, notre navire s'échoue, enfer et damnation!

Qu'à cela ne tienne, je saute par-dessus bord
et tente de ramener le dragon à bon port.

Tirant et poussant, enfin je le dégage
et réussis à le reconduire sur la plage.

« Maintenant que nous avons rejoint le bord,
mettons-nous à la recherche du trésor! »

En suivant les indices, nous arrivons au but.
De la mer à la plage, et jusqu'à l'arbre tordu.

Toujours, nous avançons, sans faire de halte,
et enfin, nous trouvons la cachette montrée sur la carte.

Un trésor de biscuits, de fromage, de jambon,
de limonade et de poires. Ah! que c'est bon!

Nous sommes des pirates, oui, de vrais gredins.
N'empêche qu'un pirate peut aussi avoir faim!

La comptine du dragon sur la sécurité aquatique

ATTENDS! C'est amusant d'aller se baigner,
mais il faut bien connaître les règles de sécurité.

REGARDE! Un adulte se trouve-t-il à proximité?
Le temps est beau, l'eau n'est pas agitée?

Consulte les écriteaux, lis-les attentivement.
Assure-toi que, sous tes pieds, il n'y a rien de coupant.

Avant de plonger, vérifie bien la profondeur.
Va toujours LENTEMENT, ÉCOUTE le maître-nageur.

Ne va pas dans l'eau avant d'avoir obtenu la permission.
Amène ton ami, et surtout, fais attention!

Le dragon connaît maintenant quelques règles importantes de sécurité aquatique, mais la règle la plus importante concerne les parents et les personnes responsables. Quand il y a des enfants dans l'eau, qu'il s'agisse d'une baignoire ou d'une piscine, un adulte doit leur accorder toute son attention — les regarder, les écouter et être prêt à leur venir en aide au besoin. C'est peut-être amusant de jouer dans l'eau ou près de l'eau, mais la sécurité est essentielle. Les enfants apprendront d'importantes consignes de sécurité en suivant le dragon et la fillette dans *Un dragon n'est pas un poisson!* Mettez l'accent sur ces consignes et appliquez-les la prochaine fois que vous irez à la piscine ou à la plage. Vous aurez peut-être envie d'organiser votre propre chasse au trésor!

Voici une liste de points importants concernant la sécurité aquatique, dont vous pourrez discuter avec les enfants :

● Il faut toujours obtenir la permission d'un adulte avant d'aller dans l'eau, que ce soit une baignoire, une piscine, un jacuzzi ou un lac, et s'assurer que la supervision est adéquate.

● Tout le monde devrait savoir nager. On doit suivre des cours de natation et de sécurité aquatique auprès d'un instructeur qualifié.

● Tous les enfants devraient apprendre des techniques de sauvetage de base, et tous les adolescents et les adultes devraient également connaître des techniques de secourisme de base.

● Les tubas, les palmes, les matelas pneumatiques et même les gilets de sauvetage ne peuvent remplacer la supervision d'un adulte. Les enfants qui ne savent pas nager – même s'ils portent des flotteurs – devraient être en tout temps à portée de bras d'un adulte.

● Le dragon a une amie. Et toi? Reste près de ton ami.

● Avant d'entrer dans l'eau, il faut vérifier le lieu de la baignade. Consulte les affiches qui donnent des renseignements sur les courants, les marées et les autres facteurs de risque, et observe les drapeaux qui indiquent les prévisions du temps. Assure-toi qu'il y a un maître-nageur en fonction. Ne te baigne jamais quand il y a des orages dans la région. Ne te baigne pas là où des gens font du ski aquatique, de la planche à voile ou de la navigation à voile.

● Ne plonge jamais avant d'avoir vérifié la profondeur de l'eau. Pour plonger en toute sécurité en eau peu profonde, il faut qu'il y ait au moins deux mètres d'eau. Si tu as des doutes, marche dans l'eau ou saute les pieds en premier.

● Si tu vois quelqu'un qui a besoin d'aide, appelle aussitôt le maître-nageur ou un adulte. N'essaie pas de porter secours à la personne en détresse, mais lance-lui une bouée pour l'aider à flotter. En cas d'urgence, quand il y a un maître-nageur sur place, il faut connaître la signification de leurs coups de sifflet et leur obéir. En cas de doute, il vaut mieux sortir de l'eau.

● N'oublie pas de te protéger du soleil. Porte un chapeau, enduis-toi de crème solaire et bois beaucoup d'eau.

● Quand tu vas en bateau, porte toujours un gilet de sauvetage approuvé par le gouvernement et attache-le bien. Assure-toi qu'il est de la bonne taille et qu'il convient à ton poids. Les gilets et les ceintures de sauvetage fonctionnent seulement quand on les porte adéquatement!

● Ne va pas sur les lacs, les rivières et les ruisseaux gelés avant qu'un adulte ne se soit assuré que la glace ne présente aucun danger. La glace doit avoir au moins vingt centimètres d'épaisseur pour qu'un groupe puisse y marcher ou y patiner en toute sécurité. L'eau vive des rivières et des ruisseaux gèle plus lentement et fond plus rapidement que l'eau stagnante des lacs et des étangs.

● Apprends la comptine du dragon et ne prends pas de risques quand tu vas te baigner!

À mes compagnons de jeu à la plage et pirates préférés,
James, Karol, Zachary, Stuart et Anna. — J.E.P.

À Sacha P. — M.G.

Un grand merci à Jean Hall-Armstrong, fantastique maître-nageuse.

Catalogage avant publication de Bibliothèque et Archives Canada

Pendziwol, Jean
Un dragon n'est pas un poisson! / Jean Pendziwol; illustrations de
Martine Gourbault; texte français d'Hélène Rioux.

Traduction de : A Treasure at Sea for Dragon and Me.
ISBN 0-439-95807-5

1. Sports nautiques--Sécurité--Mesures--Ouvrages pour la jeunesse.
I. Gourbault, Martine II. Rioux, Hélène, 1949- III. Titre.

GV770.6.P4414 2005   j797.2'0028'9   C2004-905197-0

Conception graphique : Karen Powers

Édition publiée par les Éditions Scholastic, 175 Hillmount Road, Markham
(Ontario) L6C 1Z7, avec la permission de Kids Can Press Ltd.

5 4 3 2 1   Imprimé en Chine   05 06 07 08